LE PETIT SOLDAT

© 2003, l'école des loisirs, Paris,
pour l'édition en langue française.
Titre original: "De kleine soldaat",
© 2002, Uitgeverij Clavis, Hasselt.
Texte français de Claude Lager

Loi N° 49 956 du 16 juillet 1949,
sur les publications destinées à la jeunesse:
février 2003.
Dépôt légal: février 2003

Typographie: Architexte, Bruxelles
Imprimé en Belgique

LE PETIT SOLDAT

Paul Verrept

PASTEL
l'école des loisirs

Un jour, il y a eu la guerre.

Certains comprenaient pourquoi.
D'autres, comme moi, ne comprenaient pas.

Nous étions très nombreux à partir.
On nous a donné un uniforme,
un casque et un fusil.

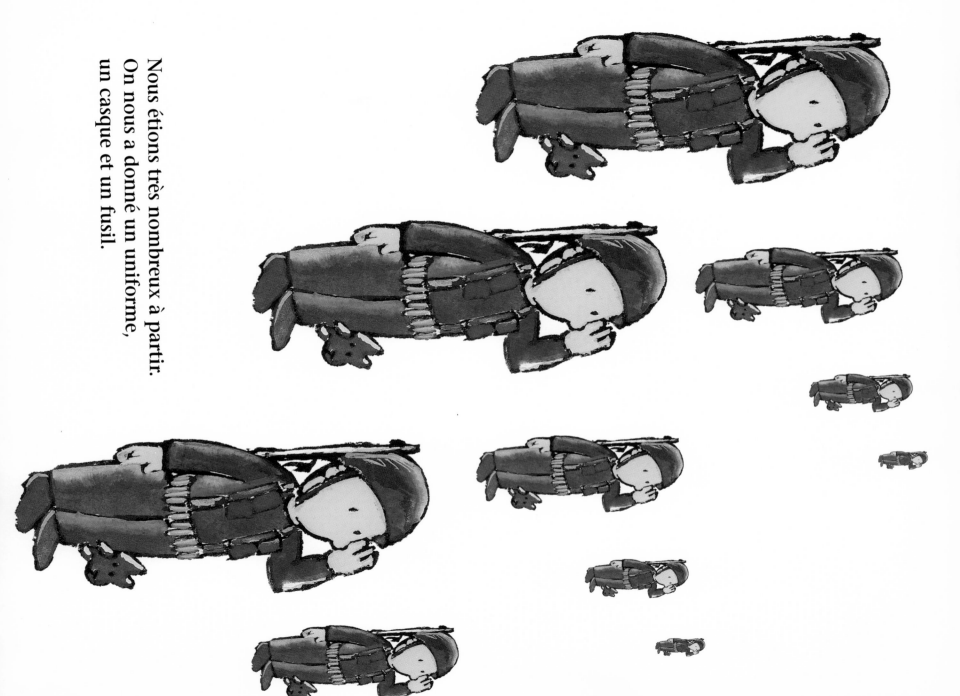

Nous avons marché pendant plusieurs jours
pour rejoindre le Front.

Nous avons combattu.
Parfois, c'était très calme.
Parfois, c'était comme si le monde allait exploser.

Beaucoup de soldats sont morts.
Moi, je suis resté vivant.
J'ai vu des choses horribles.

Un jour,
on nous a dit que la guerre était finie.

Je suis rentré dans mon village.
Les gens criaient: «On a gagné!»
Ils dansaient dans les rues.

Beaucoup de familles n'avaient plus de maison.

Beaucoup de gens avaient du chagrin.

Quand je suis arrivé chez moi,
notre maison n'était plus là.

Un peu plus loin, j'ai vu mon père,
ma mère, mon frère et ma sœur.
Puis j'ai vu notre nouvelle maison.

Beaucoup de mes amis sont morts...

Je veux continuer à vivre.
J'essaie d'oublier la guerre.

Mais souvent, le soir, je ne parviens pas à m'endormir.
Je pense à tout ce qui s'est passé.